# El secreto de Lena

## Michael Ende

Ilustraciones de Jindra Čapek

 Joaquín Turina, 39  28044 Madrid

*Primera edición: septiembre 1991*
*Sexta edición: febrero 1999*
*Novena edición (tercera en rústica): marzo 2002*

Dirección editorial: María Jesús Gil Iglesias
Colección dirigida por Marinella Terzi
Traducción del alemán: Marinella Terzi
Diseño de la colección: Alfonso Ruano

Título original: *Lenchens Geheimnis*
© K. Thienemanns Verlag, Stuttgart Viena, 1991
© Ediciones SM, 1991
   Joaquín Turina, 39 - 28044 Madrid

Comercializa: CESMA, SA - Aguacate, 43 - 28044 Madrid

ISBN: 84-348-8672-3
Depósito legal: M-8189-2002
Preimpresión: Grafilia, SL
Impreso en España / *Printed in Spain*
Orymu, SA - Ruiz de Alda, 1 - Pinto (Madrid)

Lena era una niña extremadamente amable siempre que sus padres se portaran bien y obedecieran a lo que ella les mandaba.

Desgraciadamente, eso ocurría pocas veces.

La niña –su verdadero nombre era Elena– decía a su padre:

—Dame cinco marcos para que me pueda comprar un helado de los grandes.

Pero él contestaba:

—No, ya te has comido tres, y con tanto helado te va a doler el estómago.

Otras veces, Lena le decía a su madre de la mejor de las maneras:

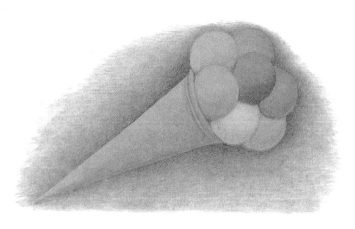

—Mamá, ¡hazme el favor de limpiarme los zapatos!

Pero ella respondía:

—Eres lo bastante mayor para hacértelo tú sola.

Y cuando Lena anunció:

—He decidido que este año iremos de vacaciones a la playa.

Los dos contestaron a dúo:

—Preferimos ir a la montaña.

Lena se dio cuenta de que las cosas no podían continuar así. Por eso, decidió ir en busca de un hada. Le daba igual que fuera buena o mala. Lo realmente importante era que supiera hacer magia. Pero ¿dónde encontrar en una gran ciudad un hada de verdad, así como así?

No era nada fácil.

La niña corrió por un montón de calles y descifró con esfuerzo —estaba aprendiendo a leer— los nombres que había en las tiendas y en los portales. Ponía, por ejemplo: «1X2» o «FRUTAS TROPICALES» o «DENTISTA» o «ABOGADO» o «MASAJISTA DIPLOMADA» o «SEGUROS LA AURORA», pero no ponía «HADA» por ningún sitio.

En la esquina de una calle

se encontró con un guardia que en ese mismo momento estaba poniendo una multa a un coche mal aparcado.

Lena se acercó y le preguntó:

—¿Tendría la amabilidad de decirme dónde puedo encontrar un hada de verdad?

—¿Una limonada de verdad? –preguntó, distraído, el guardia mientras continuaba escribiendo.

—No, un hada; una que sea capaz de hacer magia –aclaró Lena.

—¡Ah, un hada que haga

magia! –dijo el guardia–. Espera un momento.

Terminó de escribir, colocó la multa detrás del limpiaparabrisas, sacó un librito de su cartera y comenzó a hojearlo mientras murmuraba:

—Haba... Hacha... Hachazo... Ah, aquí está: ¡Hada!...

«Consolación Interrogación, consultorio; magia de todo tipo, maldiciones y augurios a medida, abierto a todas horas; calle de la Lluvia, 13, piso superior».

—¿Y dónde está la calle de la Lluvia? –quiso saber Lena.

—Todo derecho, la segunda calle a la izquierda, atraviesa por debajo del paso subterráneo, la siguiente calle a la derecha, luego desanda el camino andado, da tres vueltas sobre ti misma –le explicó el guardia con amabilidad–, aunque quizá sería mejor que llevaras un paraguas...

—Gracias –dijo Lena, y se puso en camino.

Siguiendo las indicaciones al pie de la letra, pronto encontró la calle. Era fácil de identificar porque en ella llovía sin parar. Cuando Lena finalmente llegó frente al número 13, estaba empapada, pues no llevaba ningún paraguas.

No se podía negar que era un extraño edificio: sólo se componía de una escalera, en medio de la calle, que llegaba hasta un quinto piso. Arriba había una casa, sujeta a aquella escalera de alguna manera.

Lena subió y se paró delante de una puerta con un letrero de latón, en el que ponía lo siguiente:

QUIEN QUIERA
LLEGAR HASTA MÍ
ESTÁ EN EL BUEN
CAMINO
(ENTRE SIN LLAMAR)

«¿Cómo sabe el hada que quiero llegar hasta ella?», se preguntó Lena. «Bueno, está claro, ¡porque es un hada!».

Y entró sin llamar.

Y por poco se cae al agua, porque junto a sus pies se extendía un lago inmensamente azul. Al fondo se divisaba una isla. Por suerte, próxima a la orilla, se mecía una barca.

Lena se subió a ella, y la barca se puso en marcha sin necesidad de que la niña remara –tampoco había remos

para hacerlo–. Aumentó la velocidad, y la proa cortaba el agua a izquierda y a derecha como sucede con una lancha de motor –pero tampoco había motor–. El cabello de Lena volaba al viento.

Pocos minutos después, la barca mágica llegó a la orilla de la isla, y la niña saltó a tierra. De repente, la playa se transformó en el suelo alfombrado de una habitación. Junto a una mesa redonda, de tres patas, estaba sentada una mujer. Bebía café.

El cuarto estaba muy oscuro, ya que únicamente lo ilu-

minaban unas cuantas velas
que, trémulas en sus palmato-
rias, colgaban de la pared.

A través de la ventana se
veía la luna llena. Un reloj de
cuco dio doce campanadas.
Pero el pájaro que salió de la

casita no era un cuco, sino un búho que ululó doce veces: «¡Uu!».

—Siéntate junto a mí, querida niña –dijo el hada–, y ¡cuéntame!

—¿Cómo es posible que sea tan tarde? –preguntó Lena.

—Es medianoche –contestó el hada–, porque aquí siempre es medianoche. No hay otra hora.

En efecto, el reloj sólo tenía doce doces en el lugar de las otras cifras.

—Es algo muy práctico –le explicó el hada–, porque ya se sabe que sólo se puede hacer

...agia a medianoche. ¿Comprendes lo que te quiero decir?

Lena asintió titubeante. La verdad era que no lo tenía del todo claro.

—Bueno, ¿de qué se trata? –se interesó Consolación Interrogación.

Lena se sentó en la silla libre que había frente al hada y la observó detenidamente. Su aspecto era el de una mujer normal, como cualquiera con la que te cruzas por la calle. A pesar de eso, sí había algo especial en ella, aunque Lena no podía apreciar lo que era. Pero, de repente, lo descubrió: el hada tenía seis dedos en cada mano.

Consolación Interrogación, que había visto la mirada de la niña, le dijo:

—No te extrañes. Nosotras, las hadas, siempre tenemos algo un poco distinto con res-

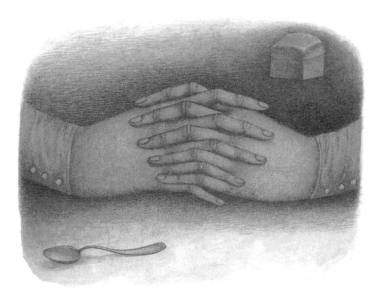

pecto a las personas normales. Si no, no seríamos hadas. ¿Comprendes lo que te quiero decir?

Lena volvió a asentir.

—Se trata de mis padres –le explicó, y suspiró–. No sé qué voy a hacer con ellos. No hay manera de que me obedezcan...

—Eso sí que es un problema –opinó el hada con simpatía–. ¿Qué puedo hacer por ti?

—... porque siempre son mayoría –continuó Lena–. Siempre dos contra uno.

—Contra eso es difícil luchar –murmuró el hada, pensativa.

—Además son mayores que yo –añadió Lena.

—Suele suceder con los padres –le confirmó el hada.

—Si fueran más pequeños que yo –pensó Lena en voz alta–, lo de la mayoría tal vez no sería tan importante.

—¡Sin duda! –estuvo de acuerdo el hada.

—Por ejemplo, la mitad de lo que son –propuso Lena.

Consolación Interrogación cruzó sus doce dedos y, con los ojos cerrados, pensó durante un rato. Lena esperó.

—¡Lo tengo! –gritó finalmente el hada–. Te voy a dar

dos terrones de azúcar. Tienen poderes mágicos. En tu casa, los meterás, sin que tus padres se den cuenta, en sus tazas de té o de café. No les hará ningún daño. Sólo que, una vez que se hayan tragado el azúcar, cada vez que no te obedezcan, se volverán la mitad de lo que eran antes. Cada vez, la mitad de lo que eran. ¿Comprendes lo que te quiero decir?

Y por encima de la mesa deslizó, en dirección hacia la niña, dos terrones de azúcar blanco absolutamente normales a la vista. Los había sacado de una caja diferente.

—Muchas gracias –dijo Lena–. ¿Cuánto cuestan?

—Nada, querida niña –respondió el hada–. La primera consulta siempre es gratis. La segunda, en cambio, se paga a un precio muy caro.

—No me importa –afirmó Lena–, porque no voy a necesitar una segunda consulta. Bueno, pues gracias de nuevo.

—Adiós –dijo Consolación Interrogación, y sonrió misteriosamente.

Luego se escuchó un ruido, «¡plof!», como si hubieran sacado el corcho de una botella, y Lena se encontró de pronto en el cuarto de estar de su casa. Sus padres estaban allí y no parecían haber notado que su hija había desaparecido por un tiempo. Lena tenía los dos terrones en la mano; eso le hacía sentirse segura de que aquello no había sido un sueño.

La madre trajo la tetera y volvió a la cocina para ir a buscar el plato con las pastas. Mientras, en el dormitorio, el padre se ponía su cómoda chaqueta de andar por casa.

Lena aprovechó la oportunidad para meter los terrones en las tazas de sus padres. Por

un momento nacieron en ella ciertos remordimientos, pero los borró de su mente enseguida.

«La culpa es de ellos», pensó. «Además, si no me contradicen, no les causará efecto. Y si lo hacen, les estará bien empleado».

Después tomaron el té. Lena dijo que prefería una limonada.

—Bueno –contestó su madre–, vete a buscarla a la nevera.

Todo iba bien. Pero, de repente, el padre quiso ver las noticias de la televisión. Lena, sin embargo, quería ver los dibujos animados del otro canal.

—Deseo saber qué ha pasado en el mundo –dijo el padre, y puso las noticias.

Se oyó «psss...», como si se deshinchara el neumático de una bicicleta, y el padre de

Lena disminuyó de tamaño sobre su butaca. Parecía un liliputiense.

Su ropa, lógicamente, no encogió. Así que la chaqueta de andar por casa, los pantalones, la camisa y la corbata colgaban enormes a su alrededor. Antes medía 1 metro y 84 centímetros, y ahora se había quedado en la mitad: 92 centímetros. Ya os podéis imaginar la cara de asombro que se le puso.

—¡Por todos los cielos, Kurt! –gritó la madre–. ¿Qué te ha pasado?

—No tengo ni idea –contestó el padre–. Me siento muy raro.

—Te has vuelto muy pequeño, Kurt –dijo la madre.

—¿De verdad? –preguntó el padre con incredulidad–. ¿Cómo?

—La mitad de lo que eras –le confirmó la madre.

El padre se levantó y se fue a mirar en el espejo del vestíbulo para convencerse a sí mismo. Al andar, la ropa colgaba por detrás de él. El espejo estaba demasiado alto para su nueva estatura. Tuvo que venir la madre y auparlo.

—Es cierto –murmuró mientras se miraba–. Y me ha ocurrido en el peor de los momentos. ¿Qué van a decir mis compañeros de oficina? Me acaban de ascender a jefe de sección.

Lena se había contenido

hasta entonces, pero ya no pudo más y, sentada en el sofá, se revolcó de la risa.

—No es como para que te lo tomes a risa –dijo la madre seriamente mientras acompañaba al padre y lo sentaba en su butaca–. Es un asunto grave. Quizá se trate de una enfermedad. Tenemos que llamar al doctor.

—No –respondió Lena, que de la risa casi no podía hablar–, no es una enfermedad.

—¡Y tú qué sabes, metomentodo! –le dijo la madre, y fue a coger el teléfono.

—¡No! –gritó Lena–. ¡No,

no y otra vez no! No quiero que venga el médico.

—Lo que tú quieras o no, da exactamente igual –afirmó la madre, enfadada–. Ahora se trata de tu pobre padre.

Iba a levantar el auricular cuando se oyó un «psss...», similar al de antes, y la madre disminuyó de tamaño también, hasta que su vestido col-

gó enorme a su alrededor. Antes medía 1 metro y 68 centímetros, y ahora se había quedado en 84 centímetros.

—¿Cómo es posible...? –fue lo único que pudo articular antes de que perdiera el conocimiento.

El padre saltó de la butaca y la cogió entre sus brazos. Si no, se hubiera caído al suelo y seguramente se habría hecho daño, aunque la caída no hubiera sido desde muy alto...

—¡Hilda! –gritó, y palmoteó sus mejillas–. ¡Vuelve en ti, tesoro!

Ella abrió por fin los ojos y éstos se llenaron de lágrimas.

—Ay, querido –gimió–, ¿me quieres decir cómo voy a poder ir a comprar? ¿Qué pensará la gente?

—Por lo menos ahora somos los dos iguales –dijo el padre en un intento de consolar a su mujer–. Ya es algo.

—Pero ¿qué me voy a poner? –se quejó la madre–. Hasta los vestidos de Lena me van a ir grandes.

—Ya encontraremos la solución, tesoro –opinó el padre, y le dio un beso tranquilizador–, ya encontraremos la solución. Tenemos que analizar la situación y seguro que se nos ocurre algo.

La madre se limpió las lágrimas de los ojos y observó admirada a su marido, que hasta en un momento como aquél era capaz de mantener la calma.

—¿Por qué nos ha ocurrido esto tan de repente, Kurt?

—Es una buena pregunta –dijo el padre, y se tocó la barbilla.

—Os ha ocurrido –dijo Lena– porque no me habéis obedecido.

Sus padres la miraron con cara incrédula.

—¿Qué has dicho, nenita? –preguntó la madre.

—Es magia –le explicó Lena–. Pero si hacéis lo que yo os digo y no me contradecís nunca, no os volverá a pasar.

—Esas cosas no existen –dijo el padre–. Estás diciendo tonterías. Vivimos en la era de las ciencias. Así que, Lena, si tú has sido la causante, anula enseguida los efectos.

—Sois vosotros los culpables –respondió Lena, malhumorada–. Porque nunca hacéis lo que yo quiero.

Los padres se miraron.

—Es evidente que lo ha hecho ella –afirmó el padre.

—¿No te da vergüenza? –gritó la madre–. ¡Una niña bien educada no hace una cosa así!

Lena tuvo que reírse de nuevo.

—Os voy a sacar una foto –dijo–. La pondremos en el álbum como recuerdo.

—¡Ni se te ocurra! –gritó el padre con severidad–. ¡Con mi máquina no!

—Deja las cosas como están —añadió la madre—. ¿No querrás ponernos en ridículo ante todo el mundo?

De nuevo se oyó aquel «psss...» y los padres encogieron otra vez hasta llegar a la mitad del tamaño anterior. Ahora el padre medía 46 centímetros, y la madre, 42.

—Ya lo veis —dijo Lena—. Ahí lo tenéis. Es mejor que

no volváis a llevarme la contraria.

Los padres enmudecieron. Estaban profundamente turbados. Lena fue a buscar la máquina del padre y sacó una foto.

—Y ahora –dijo después– podéis sentaros conmigo a mirar los dibujos animados, aunque quizá sois un poco pequeños para ello...

Los padres no rechistaron. Él estuvo a punto de decir algo, pero ella le dio un codazo y le hizo chitón con el dedo.

Para cenar, Lena trajo de la

cocina leche con galletas. Los padres ahora comían muy poco, así que Lena se puso las botas. El resto de la noche transcurrió en paz porque los padres hicieron sin protestar todo lo que Lena les mandó. Incluso cuando hubo que jugar a las cartas, a pesar de que eran muy grandes para ellos.

Por fin, Lena decidió que era hora de irse a dormir.

—Tenéis que iros a la cama –dijo–. Desde ahora, yo voy a dormir en la cama grande.

—¿Y nosotros? –dijo la madre.

—Vosotros dormiréis en mi cuna de juguete –decidió Lena.

—¡De verdad! –gritó el padre con el rostro congestionado–. Nadie puede pretender eso de mí. Soy un hombre adulto. ¡No voy a tolerarlo!

—¡Habrase visto! –estuvo de acuerdo la madre–. No puedes hacer eso con nosotros, niña. Esto ya llega demasiado lejos.

Otra vez se oyó el ruido siseante, «psss...», y él midió 23 centímetros, y ella, 21.

Lena cogió el osito de peluche, el muñeco de felpa, el títere, el elefante y todos los demás y los instaló en la cama grande. Después metió a sus padres en la cuna de juguete.

—¡Buenas noches! –les dijo mientras los arropaba–. Y ahora, a dormir. ¿Entendido?

Luego se fue a la cama, y sin haberse lavado ni limpiarse los dientes, porque ahora era ella la que decidía.

Se puso cómoda entre todos sus muñecos y se durmió contenta. Hasta que concilió el sueño, estuvo escuchando el agitado cuchicheo de la cuna.

Durante la noche se despertó, porque había estallado una tormenta. Relampagueaba y tronaba espantosamente. Lena hubiera corrido encantada a meterse en la cama de sus padres para sentirse más segura; pero ya estaba en ella, y en la cuna, con sus padres, no cabía ni aunque se encogiera. Además, con unos padres tan minúsculos, tampoco se habría encontrado segura.

Se sintió inmensamente sola
y lloró sobre la almohada. Pero
al día siguiente lució el sol de
nuevo, y la niña rápidamente
olvidó la noche pasada.

Lo primero que hizo fue
mirar en la cuna: ¡sus padres
no estaban! Habían cogido todos los pañales de muñecos
que encontraron, los habían

anudado, habían bajado hasta el suelo y se habían escapado.

Lena buscó por toda la habitación mientras gritaba:

—¡Papá! ¡Mamá! ¿Dónde os habéis metido?

Un rato después, oyó un murmullo apagado. Venía del rincón donde estaba el sofá. Fue hasta allí y levantó todos los cojines, pero no había nadie. Se agachó y miró debajo del sofá. Entonces descubrió que ambos se aplastaban contra el ángulo más oscuro de la pared.

—¡Salid de ahí inmediatamente! –les ordenó con severidad, y luego añadió en un tono algo más simpático–: No os voy a hacer nada.

—¡No! –gritaron los dos al unísono–. Tenemos miedo de ti. No saldremos de ninguna de las maneras.

Y de nuevo sonó –sólo que esta vez mucho más débilmente– el extraño «psss...». Era la prueba de que los padres habían vuelto a encoger a la mitad de su anterior estatura.

Lena fue a buscar una escoba de la cocina y pasó el mango por debajo del sofá para sacar a sus padres. Y lo consiguió. Pero inmediatamente los dos corrieron por la alfombra y buscaron refugio debajo de la cómoda.

El padre medía once centímetros y medio, y la madre, diez y medio. Y se habían puesto unos pañuelos como vestidos.

—Bueno –dijo Lena–, como queráis. Desayunaré sola.

Fue a la cocina, cogió los copos de avena y los cubrió con la última leche que quedaba. Desayunó y dejó un platito en el suelo para que sus padres pudieran comer algo. Era una niña muy cuidadosa.

Después se vistió –sin lavarse– y se fue al colegio. Dejó la puerta de la calle abierta, como hacía siempre. Por supuesto, no contó al maestro ni a los niños lo que pasaba en su casa.

Cuando volvió al mediodía, el plato del suelo de la cocina estaba vacío. Pero no hubo manera de encontrar a sus padres.

Para comer se abrió una lata de sardinas. La cosa no fue tan

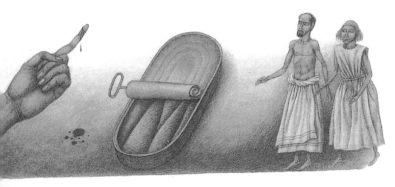

fácil como parecía y se cortó en un dedo, que comenzó a sangrar.

Empezó a correr de un sitio a otro de la casa, chillando:

—¡Papá! ¡Mamá!

Tenía miedo de desangrarse.

Finalmente, la madre apareció tras los libros de la estantería y saltó al suelo. El padre la siguió a cierta distancia. No podían soportar oír llorar a su pobre niña.

—¿Te has hecho daño? —le preguntó ella.

Lena le enseñó el dedo ensangrentado y sollozó.

—Vete corriendo al lavabo

–le dijo él– y deja que el agua corra encima de la herida.

—Y coge el esparadrapo del armario y tráelo aquí –añadió la madre.

Lena hizo con rapidez lo que le decían.

Con lo pequeños que eran, los padres tuvieron que esforzarse para despegar un trozo de esparadrapo, cortarlo y vendar el dedo de su hija. Poco

faltó para que se quedaran ellos mismos pegados.

—Y ahora –dijo el padre cuando ya habían terminado y casi no le quedaba aliento– podrías acabar ya de una vez con este disparate y devolvernos a nuestro tamaño normal. Yo aguanto bien las bromas, pero creo que ya es suficiente.

—No puede ser –les explicó Lena–. Lo haría, pero no sé cómo.

Y entonces les contó que había ido a ver a Consolación Interrogación, el asunto de los terrones de azúcar y todo lo demás.

—¡Menuda hada! –gritó la madre–. Te tengo que decir que el tal personaje no me gusta nada. No volverás allí, ¿me oyes?

—Entonces, no me llevéis la contraria nunca, nunca, nunca más –dijo Lena–. Si no, os volveréis aún más pequeños. Y, al final, desapareceréis.

—¡Imposible! –aseguró el padre–. Si cada vez nos volvemos la mitad de lo que éramos, no podemos nunca desaparecer del todo. Está comprobado científicamente. Podremos llegar a ser pequeños como átomos, pero siempre quedará algo de nosotros.

—Puede ser –replicó la madre–. Pero ¿qué será entonces de Lena? ¿Quién cuidará de ella?

—Es una buena pregunta –dijo el padre, como hacía siempre que no tenía una respuesta.

En ese momento sonó el timbre de la puerta.

—Será Max, que viene a jugar –dijo Lena.

—¡Por todos los cielos! –gritó el padre–. ¡Nadie puede vernos en este estado! No se lo debes contar a nadie, ¿lo has entendido?

—¡Claro! –le respondió Lena–. Escondeos en algún sitio.

Fue hasta la puerta y abrió. Fuera estaba su amigo Max. Era de su misma edad y tenía que llevar aparato porque tenía los dientes un poco salidos.

—Mira lo que me han regalado –dijo Max, y le enseñó un pequeño gato negro que llevaba en brazos–. Se llama *Zorro*. Podemos jugar con él.

—¿Es chico? –preguntó Lena.

—Claro –contestó Max–; si no, no se llamaría *Zorro*.

Ambos fueron al cuarto de estar.

—¿Estás sola? –quiso saber Max–. ¿Han salido tus padres?

—N... sí –tartamudeó Lena–. Han ido de visita a casa de unos amigos.

—Pero ahí están sus vestidos...

—Se han cambiado y tenían prisa. Además, a ti no te importa.

Max dejó a *Zorro* en el suelo y el animal empezó a olisquear todo.

—¿Qué me dices? –preguntó Max, orgulloso–. Tú no tienes nada parecido, ¿eh?

—Tampoco lo quiero –contestó Lena con rapidez.

—No es un gato corriente –le explicó Max–. Es de una raza muy rara.

—¿Sí? –dijo Lena–. Yo lo veo muy normal.

—Por eso se llama *Zorro* –añadió Max–. Fíjate en su bigote. No hay otro igual.

—Lena no pudo aguantar más.

—Yo tengo algo mucho mejor –dijo.

—¿Mejor? –Max se sentó en el suelo, junto a su gato, y se puso a jugar con él–. No lo creo. Puedes cogerlo. Si estoy yo, no te hará nada.

—Algo mucho, muchísimo mejor –repitió Lena.

—¿Qué? –preguntó Max.

—No te lo puedo decir –contestó Lena, recordando su promesa.

—Entonces no será tan raro –dijo Max pavoneándose. Se tumbó de espaldas y se puso el gato sobre la barriga.

—Es mucho, mucho, mucho más raro –le contradijo Lena, enfadada–. Mucho más raro que un gato.

—Pues ¡dímelo!

—No.

—Eres tonta.

—Y tú más.

—No tienes nada de nada.

—Sí que lo tengo.

—Entonces, ¡dime qué es!

—Enanos –dijo Lena.

Ya estaba: lo había soltado. Aunque realmente no quería hacerlo.

Max se la quedó mirando y chupó la hebilla de su cinturón.

—¡Tonterías! –dijo final-

mente–. Los enanos no existen.

—Sí que existen –contestó
Lena.

—¿Cómo son de grandes?
–quiso saber Max.

Lena se lo indicó con el
dedo índice y el pulgar.

—¿Y están vivos? –pregun-
tó Max, inseguro.

—¡Ajá! –hizo Lena.

Max miró a su alrededor.

—¿Dónde?

—Se han escondido –le
aclaró Lena–. Antes estaban
aquí. Hemos estado hablando.

Max hizo una mueca.

—Comprendo. Y luego te

han regalado una corona y un collar de oro... Todo invisible, claro.

En ese momento, *Zorro* dio un brinco y, como un rayo, corrió a esconderse debajo del sofá. Se le oyó gruñir y bufar, algo hizo «zisss-zasss», el gato lanzó un «¡miau!» lastimero y apareció sobresaltado. No tenía bigote.

Max lo cogió en brazos.

—Pero ¿quién te ha hecho esto? –gritó enfadado–. ¡Pobre *Zorro*!

—Mis enanos, está claro –respondió Lena triunfante–. ¡Lo has visto tú mismo! Son muy peligrosos.

Max se había puesto pálido. Murmuró algo de los deberes que aún tenía que hacer y le entró mucha prisa por marcharse.

Cuando ya estaba fuera, Lena dijo con aprobación:

—¡Le habéis dado una buena lección! ¡Hay que ver lo que presume con el tonto de su gato!

Los padres salieron de debajo del sofá. En sus rostros aún se podía leer el miedo.

—¿Cómo has podido dejar que entrara un gato? –gritó la madre–. Ha faltado un pelo para que se nos zampara.

—No habría hecho eso –contradijo Lena.

—Sólo porque, por suerte, se me ha ocurrido quedarme con las tijeras del botiquín –dijo el padre profundamente irritado–. Tenía el presentimiento de que las íbamos a necesitar. Sin esta arma hubiéramos estado perdidos.

—Pero los gatos no comen personas –dijo Lena.

—Seguramente nos ha tomado por ratones –dijo la madre.

Entonces Lena sí se asustó.

—¿Creéis que *Zorro* se os habría comido por equivocación?

—Por equivocación o a propósito –respondió el padre–, se nos habría comido si no nos hubiéramos defendido.

Lena se imaginó lo que le dirían los niños de su colegio si se corriera la voz de que un gato se había comido a sus padres. Todos se burlarían de ella.

—Y tú –dijo la madre– te tendrías que ir a un orfelinato. ¿Qué te parece?

Lena se puso a llorar.

—¡Yo no quiero ir a un orfelinato!

—Si no quieres –estableció el padre–, sólo cabe una posibilidad: mamá y yo tenemos que volver a nuestro tamaño normal.

Pero seguía sin querer.

—Sé algo mejor –dijo.

En el cuarto de estar había una vitrina que guardaba en su interior recuerdos, costosos jarrones y figuras de porcelana: un grueso buda que asentía con la cabeza cuando lo tocaban; una bola de cristal con un puente veneciano que, si la agitabas, nevaba en su interior; una muchacha con una cesta repleta de flores, y un caballito de oro que la asociación de ajedrecistas concedió al padre como primer premio en una competición de ajedrez.

Allí colocó Lena a sus padres.

—Aquí estaréis seguros –dijo–, pero tened cuidado de no tirar algo y romperlo. Si viene alguien, actuad como si fuerais de porcelana.

Y cerró la puerta de cristal. Los padres gesticularon violentamente, pero no se podía oír lo que decían.

Lena fue a la cocina y, como tenía hambre, sacó con un tenedor las sardinas que quedaban en la lata medio abierta. Después puso la radio.

«Hola, Lena», dijo una voz de mujer. «Al habla Consolación. ¿Te acuerdas de mí? Consolación Interrogación, el

hada. En el caso de que me buscaras por algún motivo, me he cambiado de domicilio. Ahora vivo en la calle del Viento, número 7, en el sótano. Si necesitas hacerme una segunda consulta... Bueno, tengo que decirte desde ahora mismo que te va a costar muy cara. Pero pronto tendrás que decidirte; si no, será demasiado tarde. Fin de la transmisión».

Y sonó una música aburridísima. Lena apagó el aparato y se puso a pensar con el dedo metido en la nariz.

Poco a poco el asunto se estaba poniendo complicado. Pero tenía una cosa muy clara: era innecesario hacer una segunda consulta. No volvería allí nunca más. Por una vez en la vida estaba totalmente de acuerdo con su madre. Además, no tenía ni idea de dónde buscar la calle del Viento.

Fuera hacía un tiempo espléndido. Lena salió, cerró la

puerta de golpe y corrió al parque, donde jugaban divertidos los demás niños. Poco tiempo después, ya no se acordaba de aquella historia tan desagradable.

La volvió a recordar cuando, a eso de las siete, regresó a casa y llamó a la puerta. Naturalmente, nadie podía abrir, porque sus padres estaban encerrados en la vitrina de cristal. Y Lena no había pensado en llevarse las llaves, porque nunca había tenido que hacerlo.

Entonces sí que le entró miedo de verdad. Se sentó en la escalera y lloró en silencio, aunque no le sirviera de nada. Se imaginó allí sentada durante toda la larga noche, sola en el mundo y abandonada, y se dio mucha, mucha pena. Ni siquiera tenía un pañuelo para limpiarse la nariz. Lo que sí tenía era hambre. De todas formas, para comer no había nada, porque su madre no podía cocinar, y nunca más podría; y dinero para comprarse algo tampoco tenía, y además a esas horas las tiendas ya estaban cerradas, y todo aquel asunto era una desgracia espantosa...

Y la culpa de todo aquello

era exclusivamente de sus padres, porque si hubieran hecho lo que Lena les pedía, la cosa no habría llegado tan lejos.

En ese momento sopló una ráfaga de viento y entró un trozo de papel por la ventana abierta de la escalera. Revoloteó un rato, hasta ir a aterrizar exactamente a los pies de Lena. La niña vio que tenía algo escrito, lo levantó y deletreó:

*Bueno, bueno, ¡déjalo ya!*
*Sabes perfectamente*
*que eso no es verdad.*
*Tus padres no pueden*
*hacer nada,*
*así que ven y charlaremos.*

¿Quién había escrito aquello? Lena dio la vuelta a la hoja y vio que ponía:

*Pliega esta hoja*
*como un avión*
*y síguelo.*
*¿Comprendes*
*lo que te quiero decir?*
*Date prisa.*

*H.C.I.*

H.C.I. sólo podía significar Hada Consolación Interrogación. Y la frase «¿Comprendes lo que te quiero decir?» demostraba que era ella la que había mandado el mensaje.

Al momento, Lena se sintió consolada.

Dejó de sollozar, plegó la hoja lo mejor que pudo –el

avión no quedó muy bien porque, de repente, se encontraba
muy nerviosa y tenía mucha
prisa–, bajó a la calle y lo echó
a volar.

El viento lo levantó y lo fue
empujando, a veces hacia arriba, a veces en picado hacia abajo. Pero siempre se remontaba
y continuaba en el aire, sin ro-
zar el suelo.

Lena corrió tras él.

Por suerte –¿o era la volun-
tad del hada?– el avión de papel volaba por encima de las
cabezas de las personas, sobre
todo en los lugares donde había cruces de tráfico. Si no, la

niña hubiera corrido sin más detrás de él, sin mirar si pasaban coches o no. Pero así no le pasó nada, salvo que se metió en dos o tres charcos y empujó a algún peatón, que se quedó gritando detrás de ella.

Poco a poco se hizo de noche. Lena continuó detrás del avión. Éste torcía por una calle y por otra, y cuando su perseguidora no aparecía, la esperaba flotando y girando hasta que ella lo veía de nuevo. A Lena ya le dolía el costado y tenía que resoplar como una locomotora, pero no se dio por vencida.

Las calles estaban cada vez más oscuras y silenciosas. Ya no se veía ni una sola persona. El viento soplaba cada vez más fuerte, silbaba y bufaba, y empujaba a la niña por delante de él.

Finalmente, la nariz de Lena casi chocó contra una puerta que no correspondía a ninguna casa. La niña se percató de ello a pesar de la oscuridad reinante.

La puerta estaba allí sin más, y sobre ella había pintado un 7 grande y negro. Debajo colgaba una placa de latón con esta inscripción:

# EN CASO
## DE QUE SE DESEE
## UNA SEGUNDA CONSULTA

La puerta se abrió por sí sola, y un golpe de viento obligó a Lena a entrar. Trastabilló unos cuantos escalones y, cuando llegó abajo, casi se resbala, pues tenía frente a sí una capa de hielo transparente como un espejo.

Era el mismo lago que ya conocía de su primera visita, aunque ahora estaba helado. La barca seguía allí, pero completamente clavada al hielo.

Era invierno y el paisaje de alrededor permanecía nevado.

Esta vez, Lena tuvo que hacer a pie el largo camino hasta la isla; paso a paso y muy despacio, no sólo para no resbalar sino también porque no sabía si el hielo la iba a sostener en todas partes. A veces restallaba y crujía muy sospechosamente.

Cuando al fin llegó medio congelada a la isla, se encontró de nuevo sobre la alfombra del cuarto de estar del hada. Consolación Interrogación estaba sentada junto a su mesa de tres patas. Para el desconcierto de

Lena, por la ventana entraban los rayos del sol del mediodía, y el cuco que asomó por el reloj de pared era un cuco de verdad que cantó doce veces «cucú». Las cifras del reloj seguían siendo un montón de doces.

—La segunda consulta –dijo Consolación Interrogación sin más– siempre tiene lugar a las doce del mediodía. Así es la cosa.

Lena desistió de preguntar por qué.

—Ahora debes decidir –continuó el hada– cómo quieres que se desenvuelvan los hechos.

Pronto habrá pasado el tiempo en que todavía se pueden anular los efectos. ¿Comprendes lo que te quiero decir?

—No del todo –confesó Lena.

—¿Te has divertido, niña? –preguntó el hada.

—Desde luego –dijo Lena titubeante–. Sobre todo, al principio.

—Bueno, si tú quieres –le aclaró el hada–, las cosas pueden seguir como hasta ahora. Tus padres se harán más y más pequeños. Primero podrás guardarlos en una caja de cerillas. Después, sólo conseguirás verlos a través de una lupa o por un microscopio. Pero eso seguro que es muy divertido, ¿no te parece?

Lena calló, perpleja, y sacudió los hombros.

—Lo cierto es –añadió el hada– que te tienes que decidir ya mismo, porque desde un momento determinado habrá pasado demasiado tiempo para que se pueda regresar al principio. Aquel que ha ido demasiado lejos tiene que continuar. En la vida sucede así a menudo. ¿Comprendes lo que te quiero decir? Pero ¿quizá a

ti te apetece continuar? Sólo tienes que decirlo, niña.

Lena observó, indecisa, al hada.

—Oh, yo no quiero influir en ti, querida –aseguró Consolación Interrogación–. Eres tú la que te tienes que decidir por la posibilidad que te parezca la mejor. Yo sólo quería explicarte lo que pasará si eliges ese camino. ¿Comprendes lo que te quiero decir?

—Sí –respondió Lena, y tragó saliva–. ¿Y cuál sería la otra posibilidad?

—La otra posibilidad –dijo el hada alargando las palabras al mismo tiempo que miraba a la niña enigmáticamente– me temo que no te va a gustar. Es muy desagradable…, sobre todo para ti. No creo que ni siquiera te interese.

—Dígamela de todas formas –pidió Lena.

—Bueno –aclaró el hada–, yo podría dar marcha atrás al tiempo que ha pasado desde

nuestra primera consulta, más exactamente hasta el momento anterior a que tú echaras los terrones de azúcar en las tazas de tus padres. Entonces los demás pensarían que entretanto no había ocurrido nada. Incluso la foto no la habrías hecho nunca. No quedaría ni una sola prueba de toda la historia. Sólo tú sabrías lo que había pasado... o, más aún, lo que sucedería, porque en ese momento todo sería futuro también para ti. ¿Comprendes lo que te quiero decir? Tú podrías tomar otra decisión y no echar los terrones en el té.

—¿De verdad? –preguntó Lena–. ¿Es posible eso?

—Claro que sí –contestó el hada–, pero desgraciadamente la cosa tiene una pequeña contrapartida, como es de esperar en estos asuntos de magia. Te dije desde el principio que la segunda consulta te iba

a salir muy cara... fuera como
fuera.

Consolación Interrogación
tamborileó con sus doce dedos sobre la superficie de la
mesa en actitud pensativa.

—¿Qué tipo de contrapar-
tida? –quiso saber Lena.

—Bueno –el hada levantó
las cejas para resaltar la im-
portancia del momento–, te
tendrías que comer tú misma

los terrones, y en el acto. Ésa sería la única posibilidad.

—¿No podría tirarlos sin más?

—No, desgraciadamente no, querida. Eso sería completamente inútil. Siempre irían a parar a aquel al que le habían sido destinados. Aunque se tiraran cien mil kilómetros mar adentro, en ese mismo momento aparecerían en la taza de té de tus padres. No son unos terrones de azúcar normales. ¿Comprendes lo que te quiero decir?

—Sí, pero... –balbució Lena–, me pasará lo mismo que

a papá y a mamá. Me volveré también más y más pequeña.

—Inevitablemente –respondió el hada–, a menos que...

—A menos que ¿qué?

—A menos que –repitió Consolación Interrogación– no lleves la contraria nunca más. Entonces no te ocurrirá nada. Así es.

—Ah, ya –dijo Lena.

Y permaneció un rato callada. Tampoco el hada dijo nada más. Finalmente, Lena sacudió la cabeza.

—Es inútil. Eso es demasiado difícil para mí.

—Ya me lo imaginaba –afirmó el hada–. Así que dejemos las cosas como están. A mí me da exactamente lo mismo. No te voy a convencer de nada.

Miró el reloj.

—Aún quedan diez segundos. Después todo estará resuelto, porque será demasiado tarde.

Lena estaba librando una terrible lucha consigo misma.

—¡Por favor! –gritó de pronto–. ¡Dé marcha atrás al tiempo! ¡Por favor, hágalo! ¡Ahora mismo!

Consolación Interrogación saltó de la silla y, con los dedos extendidos, comenzó a girar en sentido contrario las manecillas del reloj de cuco. Eso fue lo último que Lena vio de ella. De nuevo escuchó aquel «¡plof!» peculiar, como si sacaran el corcho de una botella, y se encontró en el cuarto de estar de su casa, en el mismo momento en que su madre cogía en la cocina el plato con las pastas y su padre, en el dormitorio, se ponía su cómoda chaqueta de andar por casa.

Y en su mano sentía los dos terrones de azúcar, que le hicieron comprender lo real que era todo aquello. Se los metió en la boca, los masticó y los tragó rápidamente.

—Lena –dijo la madre, que entraba en ese momento–, no comas azúcar. Estropea los dientes.

—Sí, mamá –contestó Lena.

El padre se sentó en su sillón.

—Me gustaría ver las noticias. ¿Tiene alguien algo en contra?

—No, papá –dijo Lena.

Los padres intercambiaron una mirada llena de sorpresa.

—¿Qué te pasa, Lena? –preguntó el padre–. ¿Estás enferma?

Ella sacudió la cabeza.

—Ven, tómate una taza de té con nosotros –propuso la madre–. Te sentará bien.

—Sí, gracias –dijo Lena.

Y desde entonces todo continuó así. Lógicamente, de allí

en adelante, la vida fue mucho más fácil para los padres.

—La niña está entrando en razón poco a poco –se dijeron.

Pero nunca supieron la verdadera causa. Ése fue el eterno secreto de Lena.

O, por lo menos, duró durante un inimaginable espacio de tiempo... Exactamente, hasta el viernes siguiente.

Entonces, el padre dijo:

—Niña, las cosas no pueden continuar así contigo.

—Sí, papá –respondió Lena obediente.

—Algo hay –opinó la madre–, algo hay que no funciona bien en ti. Te comportas como una extraña. Ya no eres nuestra Lena.

—Todos los niños normales llevan la contraria de vez en cuando —continuó el padre—. ¿No tienes ni una sola opinión propia?

—No, papá.

—Estamos muy preocupados –gritó la madre en tono lastimero–. ¿No podrías contradecirnos alguna vez? Sólo para darnos la alegría de que tenemos una hija normal.

Entonces Lena no supo cómo seguir. Si decía que no, la estaba contradiciendo y las consecuencias serían fatales; pero si decía que sí, prometía hacerlo y todo terminaría de la misma manera.

En lugar de dar una respuesta, se puso a llorar.

—¡Por Dios! –gritaron los padres–. ¿Es un asunto tan grave? Si hay algo que te agobia, cuéntanoslo, niña. A nosotros nos lo puedes decir todo.

Y, por fin, Lena explicó, entre gemidos, lo de los terrones de azúcar y todo lo demás.

—¡Esto es inaudito! –gritó la madre–. Esa hada es una persona horrible.

—Sí –se mostró de acuerdo el padre–. Habría que prohibirle el ejercicio de la profesión.

—Mi pobrecita niña... –la consoló la madre mientras la tomaba en sus brazos–, estate tranquila. Tu inteligente padre encontrará una solución. ¿No es cierto, querido?

—Por supuesto –respondió el padre, y carraspeó–. Dejadme pensar.

Paseó por la habitación mientras la mujer y la hija le seguían con la mirada.

—Lo tengo –dijo la quinta vez que daba la vuelta–. Pensándolo bien, la cosa es muy sencilla. El cuerpo humano consume azúcar, igual que el motor de un coche, gasolina. Está comprobado científicamente. Los terrones sólo te harán efecto mientras permanezcan en tu cuerpo. Y el azúcar se gasta muy rápidamente por medio de los músculos.

Así que hace ya mucho que no están dentro de ti.

Lena dejó de llorar y se sonó la nariz.

—¿Lo crees de verdad?

—¡Claro! dijo el padre—. Llévame la contraria. Es un experimento muy importante.

—Sí, papá —dijo Lena obediente—. Pero ¿y si sale mal?

—No —dijo la madre—. Tienes que llevarnos la contraria de verdad. No así, a medias.

—Para eso me tenéis que ordenar algo de verdad —pidió Lena.

El padre se concentró y puso una cara muy seria.

—Bien, te ordeno que ahora mismo des una voltereta.

—No –dijo Lena titubeante–, no quiero. No me siento con ánimos de dar volteretas.

Los tres esperaron tensos, pero no sucedió nada. Entonces cayeron, riendo, unos en los brazos de otros.

El padre tenía razón. Realmente era un hombre inteligente.

Podrían haber olvidado aquella aventura sin más. Sin embargo, hubo algo que resultó de todo aquello: a partir de aquel momento, Lena contradecía a sus padres y ellos contradecían a Lena sólo cuando era absolutamente necesario, y no por tonterías.

Y, por eso, en adelante vivieron en gran armonía, y, a pesar de todo, recordaban al hada Consolación Interrogación con cierta gratitud.

¡Ah! Lena siguió dando volteretas, se lo ordenaran o no.

# EL BARCO DE VAPOR

## SERIE NARANJA *(a partir de 9 años)*